헤매는 감정의 초상

헤매는 감정의 초상

발 행 | 2024년 02월 20일
저 자 | 강민서
펴낸이 | 한건희
펴낸곳 | 주식회사 부크크
출판사등록 | 2014.07.15(제2014-16호)
주 소 | 서울특별시 금천구 가산디지털1로 119 SK트윈타워 A동 305호
전 화 | 1670-8316
이메일 | info@bookk.co.kr

ISBN | 979-11-410-7273-5

www.bookk.co.kr

헤매는 감정의 초상

강민서 지음

목차

우리의 차세는 촉새에게 번져 옛과 후에 미치려 한다.

청춘 익사 사건

내가 사랑한 그 아이는 영원한 바다의 모습으로 잠기었다.

기어코 청춘이 익사했다.

-푸른 청춘의 흔적

/

　　깊은 산골짜기에는 우리가 제대로 알지 못하는
비밀들이 숨겨져 있다. 누군가는 산 길을 오르다 길이라도
잃어버리게 된다면 그 후로의 삶은 어쩌면 꿈꿀 수 없다고
하지만, 사실상, 우리는 알지 못하는 것들에 어떤 것이
숨겨져 있을지는 그 누구도 모른다.

　　나는 그 속에서 아름다움을 발견했다. 어쩌면 사랑을
발견한 것일지도 모른다. 마치 바다와도 같았다. 그곳은
빠지면 헤어 나올 수 없을 정도로 아름답고 눈앞이 무로
덮여가는 곳이다.

　　머지않아 현상을 알아차렸을 때에는 모든 해수가 내
폐에 잠길지 언정, 해상의 염원에는 잘게 잘린 먼지마저
미치지 못할 것이니 무얼 죄책으로 삼고 후회를 땅에 두고
가겠는가.

/

그 아이는 어여뻤다.

그 아이는 깊은 산속에 바다를 등진 마을에 살았다.

그리고 엄청난 환대를 받던 아이다.

살인자 주제에, 환대를 받다니. 역겨운 광경이다.
자신을 신으로 착각해 자신과 같은 종인 사람들을 하대하는
것이 같잖다. 저게 내 추억이자 과거의 인물이었는가,

어쩌면 내가 혐오한 건 그 아이가 아닌, 그 아이를
칭송하며 뒤에서는 하대하는 마을이 싫었던 걸지도 모른다.

구차한 사람들, 아름다운 것에 홀려 제 생을
포기하고 마을의 풍습으로 남으려 한다. 불쌍해라, 불쌍해라.

신이시여, 왜 인간들은 아름다운 것을 좋아하는가요.
누가 아름다운 것의 기준을 정해둔 것입니까. 신이시여, 왜
우리는 아름다움을 쫓고 있나요. 신이시여, 왜 그 아이를
그리도 아름답게 만드셨습니까.

세상의 큰 접점을 남겨두지 못한 사람들이 당신께는 그들이 불쌍하지도 않던가요. 당신에게는 아름다움이 오직 큰 가치입니까. 아니면 당신은 그들에게 세례를 내리신 겁니까. 전생에 죄악을 진 모든 인간들이 이를 통해 그 해악을 씻어내려 한 것입니까. 나는 당최 당신이라는 존재를 이해하지 못할뿐더러, 왜 존재하는지조차 이해하지 못합니다.

너는 내가 싫어?

응.

거짓말.

거짓말 아니야.

왜, 내가 그렇게 큰 잘못을 한 거야?

응.

쓰네, 인생이. 너만은 날 온전히 이해한 줄 알았는데. 우리 사랑도 했던 사이였잖아. 그러니까 너는 좀 이해해 주면 안돼?

이해해. 그래, 내가 다 알고 있으니까. 그래도 그건 도를 지나쳤잖아.

그런데 왜, 왜 그래 나한테. 내가 하려 한 게 아닌 거 잘 알면서. 나는 그냥 그 사람들이 좋았던 것뿐이라고. 너는 내 모든 걸 알잖아. 내가 일부러 그런 짓을 한 게 아니란 거. 어떻게 다 아는 네가 그럴 수 있어.

웃기는 소리 하지 마. 너 그 사람들 안 좋아했잖아. 좋아한다면서 그렇게 죽게 내버려둬? 너 아직 나

좋아하잖아. 사랑하잖아. 그거 너의 선택이고, 욕심이라는 거, 너도 이미 자각하고 있던 사실 아니야? 너야말로 알잖아. 내가 왜 이렇게까지 구는지. 근데 왜 그렇게 됐는데. 어떻게 네가 그래. 그건 내가 할 말이야.

애증이었다. 그 아이가 원망스럽다가도, 결국에는 타의에 망가진 것이 분명하다고 믿었다. 그 아이 스스로가 자신을 망칠 리는 없다고 생각했으니까. 내 뜻대로 되지를 않는다. 그냥 걱정이 됐다. 걱정만 됐다. 그 아이를 향한 모든 말들은 비난과 질타로 뒤덮였다만, 결국에는 내 사랑인 건지도 모른다.

아니야, 나도 어쩔 수 없었다고. 내가 말했잖아. 마을 사람들도 결국에는 죽을 사람들이라고 하잖아.

그래, 그럴 수 있지. 그런데 그 사람들이 얼마나 고통스럽게 죽어 갔는지는 알아? 고작 이딴 풍습으로 사람들이 죽어 나가는 게 너무 화가 나, 역겨워. 당장 그 일 그만둬. 이제 그만둘 때도 됐어. 언제까지 그 일로 살아갈 건데.

이건 내 생계야. 네가 날 먹여 살릴 거 아니면 나한테 그런 소리조차 하지 마. 너야말로 그 사람들이 좋았어?

그 사람들이 좋았냐니, 웃기는 소리 하지 마. 그랬다면 이 토악질 나오는 마을부터 떠났겠지. 너 나 알잖아. 내가 좋아하는 사람한테는 어떻게 하는지.

그러니까 신경 쓰지 마. 네가 내 인생을 책임질 수 있냐고, 그러면 포기할게. 이 짓 포기하고, 다시 예전의 그 때로 돌아갈게. 근데 할 수 있겠어? 그거 아니잖아. 너 진짜 위선적이야, 그래서 싫어. 윤리적인 척, 선한 척 다 해 놓고는 결국 모든 사람들의 결말은 같아. 그러고도 네가 이 마을에서 유일하게 괜찮은 놈으로 보여?

뭐?

아니, 내 말은. 그게. 미안, 이렇게까지 말하려고 했던 건 아니야.

진정해, 너 원래 흥분하면 마음에도 없는 말 하니까.

그러게, 왜 이럴까. 미안해.

나도 미안해. 그러니까 또 그런 말 하지 마.

그냥 화가 났어. 알잖아. 그 인간들 성격 더러운 거. 근데
너까지 내 편 안 들어주니까 그게 너무 서운해서.

알지, 그래서 싫어. 네가 그 사람들한테 이용당하는 것
같다고. 그래서 네가 그 일 그만두면 좋겠기에 그래서
그랬어.

　　　　왜 우리가 헤어졌었지, 어른들이었네. 또 어른들
때문에 그 아이가 그런 선택을 했었나, 어쩌면 주범이 아닌
건가. 피해자인 건가. 진실은 사실 그들만이 알긴 하지만
거부할 수 없었다. 분명 뜨겁게 타오르는 불길 속으로
들어가는 감이 들지만, 내가 어떻게 널 버려. 내가 어떻게 널
보지 않고 살 수가 있을까. 나는 너를 끊어낼 수 없다.

진짜 나도 이 짓 하기 싫어. 이제 머리도 아프고, 더 이상
성취감 같은 것도 없고, 명예도 다 순 거짓말 같다고. 겉만
번지르르하고 속을 실속 없는 빈 박 주머니 그런 것 같다고.
나도 왜 하고 있는지 모르겠는데, 너까지 그러니까
이상해져만 가. 그런데 그런 날 믿고 바라보는 마을 사람들
모두가 다 불쾌해. 그냥 싫어. 인생이 원래 이런 거야?
그러면 그냥 그만 살래. 이게 무슨 아름다워. 뭐가 좋고,
아름다운 거야. 뭣 같기만 한데. 이때까지 자기들이 하던걸,
갑자기 나한테 시켜. 어른이 됐대. 그래봐야 나는 겨우
20살도 겨우 넘긴 사람인데. 나보고 그 사람들의 목을 베래.

심장을 꺼내래. 너무 잔인한 행동을 사람들 앞에서 하래.
나는 원래 그런 존재라고, 그러니까 해야만 한다고. 힘들어.
이게 뭐야, 나는 이러려고 살고 있던 게 아니었는데.

린아.

응.

우리 그냥 도망갈까?

그럴까.

응, 그러자. 여기서 더 살다가는 너도 나도 망가질 게 뻔한데,
그냥 우리 도망가자. 우리가 고작 이런 걸로 망가져야 하는
사이는 아니잖아.

　　　　내 사랑의 죄명은 살인이다. 내 죄명은 도주다. 그
아이는 주범이다. 또 공범이다. 나는 공범이다. 또 주범이다.
결국 우리는 감옥에 갇힐 거다. 죽을 거다. 사형을 선고받을
거다. 그럼에도 불구하고, 우리는 죄를 지을 거다.

근데 그거 알지. 우리 도망갔다가 잡히면 그거 정말
개죽음일 텐데.

우리가 개가 안되면 되지. 어차피 그 인간들은 박쥐 같은 존재잖아.

나만 잘못되는 게 아니라고. 네가 더 위험해져. 그래도 할 수 있어? 그렇게 약속할 수 있냐고.

지켜줄게. 책임질게. 너만 모든 걸 안고 가지 마.

시간을 좀 줘. 그리고 맹세해 줘. 내가 잘못되더라도 너는 꼭 잘 살기로.

그건 잘 모르겠네.

-청춘의 서곡

　　　꽤나 그날들의 계절의 향기는 달콤하고, 쓰라렸다.
너와 나누는 나의 감정은 깊어져만 가는데 결국 방해꾼들이
우릴 갈라선다. 견우와 직녀와 다른 우리였다. 적어도 그들은
방해꾼과 조력자가 함께 공존했는데 말이다.

　　　어른들은 우리를 이해하지 못했다. 우리의 감정을
우정으로만 치부했다. 그 아이는 커서 마을을 살려야 하는
사람들이라며 매번 갈라놓기 일쑤였다. 사랑조차 제대로
하지 못한다. 진실한 사랑이라도 우린 결국 갈라서야 한다.

　　　어른들, 그들은 꽤나 아름다운 것들에 대해서는
집요하게 굴었다. 정확히 말하면 바깥세상의 있는 사람들을
매혹시킬 수 있는 그런 것이 필요했던 거다. 그게 사람이든,
동물이든, 사물이든 뭐든. 그래서 선택한 게 그 아이였다.
바닷속 깊이 잠겨있는 아름다운 보물들을 가져다 놔도 그
아이가 더 큰 가치를 한다며, 그 아이만은 오로지 혼자 있게
두었다. 그 아이가 진정한 사랑을 찾지 못하도록 바깥세상에
있는 모든 것들은 다 위험한 사람이다. 그런 사람들을
없애는 것이야말로 우리가 여기 이곳에서 살아가는 이유다.

이 마을에 있는 사람들은 모두 널 위험한 존재로 생각한다. 그러니 도망쳐봐야 소용없다.

라는 이상한 헛소리를 나불대면서 아이에게 인식을 심었다.

쓰라렸다. 너같이 아름다운 아이가 그런 취급을 받으며 그런 말들로 썩어가고 있다는 게 그게 역겨웠다. 고작, 이런 마을 풍습으로 인해 한 어린 생명이 썩어가고 있었다.

그 역겨운 풍습은 꽤나 오래전부터 시작되었다고 전해진다. 이 마을은 농사를 지을만한 땅이 있는 것도 아니고, 외부로부터 멀리 단절되어 있었기에 먹을 게 절실했다고 한다. 그래서 매년 4번의 계절마다 누군가가 외부의 인물과 결혼해 사람을 왔다고 한다. 외지인이 갖고 온 음식들을 펼쳐 마을의 축제를 열고, 풍년을 기했다고 한다. 하지만 인간의 욕심은 끝이 없는지라 결국에는 인간들이 정해놓은 윤리라는 선을 넘었다. 인간의 살점은 토양을 더 비옥하게 만들고 제물로 바치면 앞으로의 후손들에게 큰 복을 준다고 빌고, 믿었다.

지금은 그들을 기리기 위해 한단다. 모두 다 핑계다. 핑계거리들을 그럴듯한 말로 포장해서 안 그런 척하는 것이 해당 마을을 유지할 수 있는 유일한 방법이다. 또 지금 이 비윤리적인 모든 만행들을 합리화시키기 위한 언행이다.

안녕, 여기서 뭐해.

너는 내가 무섭지 않아?

너 되게 뜬금없구나. 같은 사람인데, 무서워하는 게 더 이상한 거 아닌가.

이상해.

응, 네가 더.

　　　꽤나 이상한 첫 만남이었다. 나는 부모의 말을 듣기 싫어서 가출을 했고, 그 아이는 마을 사람들로부터 벗어나기 위해 도망쳤다. 마을 바깥으로 빠져나오는 문에서 만났다.

넌 이름이 뭐야. 나는 청은인데.

미리야. 어른들이 그렇게 불러.

어른들이 그렇게 부른다니, 원래 이름이라도 있는 거야?

그런 게 있어. 또 만나게 되면 그때 알려줄게.

재미없어. 그럼 나도 안 알려줬지.

　　　　고요한 수풀 내음이 나고, 풀벌레 소리가 잔잔히 들려왔다. 어차피 처음 만난 아이에게는 아무런 마음이 갈 수 없는 것은 당연지사 아니겠나. 그냥 그랬다. 저 대화를 끝으로 다른 말들은 하지 않았다. 졸린 눈은 서서히 감겨왔고, 나는 풀에 기댔다.

그 쥐새끼, 지가 도망가 봤자지.

그렇게 말하지 말아요. 아직 어리니까 잘 모르잖아요.

그게 제 쓸모를 다하지 못하면 산짐승에게 먹여야지.

미리야, 미리야. 어딨니?

　　　　아마 내가 들은 것은 환청일 수도 진짜일지도 모르지만, 그때의 나는 아직 숙맥의 어린이였다.

하이고, 이 \놈아. 왜 이리 위험한 데서 자냐.

깨어나 보니 아침이었다는 건 너무 뻔한 이야기일까.
기껏 멀리 있는 출입구까지 가뒀지만, 그걸 기어코 잡아왔다.

그걸 어떻게 거기까지 가냐, 이눔아. 거기 들짐승 많은 거
너도 잘 알던 거 아니야? 근데 왜 그래. 아비 말이 듣기
싫어?

밖에를 내보내주던가, 집 안에만 있으니까 내가 아빠 말 안
듣는 거지. 지금 당장 시장에라도 보내면 내가 한
평생소원이 없겠다.

어휴, 네가 하도 사고 치고 다녀서 그런 거 아니야. 그걸로
뭐 삐지고 그러냐.

시장 보내주면 생각해 볼게.

말 안 듣는 건 누굴 닮아서 저러는 건지 몰라. 자, 가서 귤
좀 사와라. 네 아픈 엄마가 귤이 먹고 싶단다.

얼마나?

온 가족 먹을 수는 있을 만큼.

시장은 어느 때를 가더라도 북적였다. 유난히 시끄러운 날이었던 것 같기도 했다. 사람 하나를 찾는다고 하던가. 누군가 또 아이를 잃어버린 거기도 한가보다.

미리야, 미리야!

어디서 들어본 이름이 들렸다. 저 집은 허구한 날 애를 잃어버린담.

아줌마, 안녕하세요. 이거 귤 한 통에 얼마예요?

오랜만이네, 2천 원. 사고 좀 치고 다니지 말아. 엄마, 아빠 걱정시키지 말고. 아빠가 많이 걱정하시더라.

잔소리는 아까 아빠한테도 많이 들었어요. 여기 2천 원이요.

그래, 다음에도 오렴. 몇 개 좀 더 넣어줬어.

감사합니다.

미리야, 미리야. 라는 소리는 시장에서 끝날 기미가 안 보였다. 대체 그 아이가 무슨 존재이길래, 사람들이 다들 발 벗고 나서서 찾을 이유가 있나 싶었다.

지금 내 앞에 바로 있는 아이를, 어른들은 잘 찾지 못했다. 작은 아이를 찾는 데엔 큰 어른들은 필요 없을지도 모른다고 생각했다.

왜 여기서 울고 있어.

안녕.

미리라고 했었나. 어른들이 다들 널 찾아.

괜찮아. 안 가도, 상관없어.

왜?

저 사람들은 어차피 날 좋아하는 게 아니거든. 부모님도 아니고.

정말?

응.

멋쩍게 머리를 털고 옆에 앉았다. 아무런 말 없이도 위로가 되길 바랐다.

귤, 먹을래?

응.

내가 방금 사 온 건데, 맛은 몰라. 근데 아마도 맛있을 기야. 저기 저 앞에 있는 아줌마 있지? 그 아줌마 가게에서 산 거거든. 그래서 괜찮을 거야.

고마워.

얼굴은 왜 그래.

그냥, 좀 굴렀어.

냇가로 같이 갈래?

아니, 괜찮아.

　　　말이 이어지지 않는다. 사실 할 말도 없다. 이제서야 두 번 본 아이다. 정도 없다. 그런데 왜 이렇게까지 내가 대하고 있는 걸까. 우리 둘의 사이는 조용했다. 한 몇 분간은 아무런 말이 없어 나 혼자만 있다고 해도 속았을 것이다.

있잖아.

응?

청은, 이라고 했지.

응.

내가 너한테만 알려주는 건데, 옛날에 난 사린이라고 불렸대.
근데 이제는 그 이름으로 부르려는 사람이 없어. 부르려고
하지도 않아. 버리래. 내 이름을,

이름, 예쁘네.

어른들 앞에서는 말하지 마.

우리, 비밀친구 그런 거야?

그런 셈이지.

너는 날 믿어?

적어도, 어른들보다는. 세상에 믿을 사람 하나 정도는,
괜찮겠지.

한 번씩 여기로 모일까?

또 혼날 텐데. 나 저번에도 몰래 그랬다가 많이 혼났어. 어딜
기어 나가냐고.

내보내달라고 해. 1주일 동안 하루라도 밖에 나가지 않으면
힘들다고. 여기서 나 죽을지도 모른다고.

말해도 달라지는 게 있을까.

안 해보는 것보단 해보는 게 나을지도 모르지.

그러면 야시장이 열리는 날, 그날 우리 여기서 또 만나.
알았지?

그래, 맛있는 거 사줄게.

　　둘 사이의 계절이 시작된 날이었다.

야시장이 열리는 날, 달이 저 밤 한가운데에 떠 있음에도 불구하고, 그 아이는 오려 하는 기척도 보이지 않았다. 아무래도 비밀친구와의 약속은 잘 지켜지지 않나 보다. 어쩌면 2번을 만난 것 자체로도 기적일지 모르지만 말이다. 만약 오지 않는다면 그냥 마지막에 마을 구성원들이 다 모여 보는 불멍만 바라보고 끝내려 했다

미안해, 너무 늦었지.

　　　뭔가의 기적이었을까, 그냥 우연일까.

아니, 나도 방금 왔어. 오늘 좀 춥던데. 따뜻하게 입었어?

응. 그, 저번에 준 그 귤 맛있더라. 고마워.

뭘, 뭐 하러 갈래? 우리 불 짚이는 거나 보러 갈까?

그냥 여기서 대화는, 좀 그러려나. 내가 불은 별로 안 좋아해서.

어쩔 수 없지. 불빛 있는 곳으로 가자. 여긴 너무 외졌잖아.

그 이후로 몇 년 동안을 만났다. 그 사이 서로 사귀자는 말은 안 했음에도 분명 사랑하고 있음을 느꼈다. 세상을 사는데 둘이면 충분할 것 같았다. 다른 사람이 없어도 그냥 행복한 것이 먼저였기에 문제는 없었다. 적어도 오랜만에 엄마를 만나기 전까지는, 크게 걱정하지 않아도 됐었는데 말이다. 생각보다 인생은 꼬이는 게 많은 건가 보다.

어딜 나갔다 와. 밖에 추운데.

엄마, 오랜만이네. 좀 괜찮아졌어? 맨날 방에만 있는다고, 몇 년을 나오지도 않더만. 아빠는 지금 시장 갔어. 먹을 게 다 떨어졌다고 하던가.

그건 그렇고, 너 계속 누구 만나고 다니는 거냐.

옛날보다는 사고 덜 치고 다니잖아.

누구 만나고 오는지 물었잖아.

린이, 성까지 포함하면 사린이래. 외자 이름 처음 보는데 신기하지.

린? 그런 아이는 처음 듣는데.

아, 어른들은 걔 미리라고 부른대. 엄마, 들어봤어? 걔 정말 예뻐. 진짜 한 평생 사람들을 보고 다녀도 걔만큼 아름다운 사람은 찾지 못할 거야.

네가 어떻게 걔랑 만나고 있는 거야.

그냥, 어쩌다 보니. 꽤 오래전부터 만나고 다녔어. 아마, 15 살 때부터?

재수가 옴 붙어서…. 그래서 그때부터 내가 이런 처지가 된 거구만.

그게 무슨 소리야.

걔랑 만나지 말라는 소리다. 못 알아먹겠니? 만나지 마, 사람 죽이는 것들이랑 다니면 괜히 우리가 저주받아 병들어 죽을 테니까.

엄마, 어떻게 사람한테 그런 말을 해. 그리고 엄마는 걔 만나기 전부터 그랬잖아. 그냥 운이 안 좋아서 병에 걸린 거겠지. 어떻게 사람을 한 번 만나고 병에 걸려. 심지어 본인도 아닌 다른 사람인데.

너도 이제 좀 알 때도 되지 않았니. 주변 사람들이 너네 같이 있을 때 분위기가 이상하진 않았어? 당장이라도 누군가가 떼어 놓으려고 하지 않았냐고.

그러니까 그게 대체 걔랑 무슨 상관이야.

그 쥐새끼 하나 때문에 재수가 옴 붙어서 내가 이 반 병신이 된 거 아니냐. 빨리 헤어지던가. 죽던가. 심장 파먹고, 남 것들 생명 앗아가는 것들이랑은 만나지 마.

말이 너무 심한 거 아니야? 그냥 심한 병든 걸지도 모르잖아. 걔 때문이 아니라고.

그거랑 안 만나면 다 얘기해 줄 테니까. 엄마, 말 들어. 제발.

　　　헛웃음이 다 나왔다. 차마 엄마라는 명목하에 심한 말은 내가 어찌할 수가 없었다. 아직 우린 부모라는 보호자 밑에서 살아야 했던 미성숙한 청소년들이었으니까.

우리 조금만 멀어져야 할 거 같아. 왜 세상은 우리 편이 아닐까

어쩔 수 없지. 많이 보고 싶을 건데, 참아볼게. 나도 요즘 그것 때문에 눈치 많이 보고 있기도 하고. 어른이 되면 다시 볼까?

-여름의 미련

우리 그러면 언제 도망갈까.

지금 당장이라도 떠나고 싶지만, 넌 가족들한테 인사라도
해야 하지 않겠어?

괜찮아, 아빠만 조금 걱정되긴 할 뿐이지만. 그렇게 크게
신경 쓰고 싶지 않아.

너는 내가 원망스럽지 않아?

그랬다면, 진작에 절교했겠지.

내일, 밤 그 시장 외곽에서 봐.

조심히 와.

내 걱정은 하지 말고.

이상하리만치 고요한 시장, 그 어떤 잡음도 들리지
않았다. 보통 마지막 정리를 위해서 누군가는 남아있는데,
싸늘한 공기만이 시장 안을 감싸 매웠다. 가히, 사람이 다
어디론가로 사라졌다고 해도 믿을 정도의 정적이었다.
누군가 작당모의를 하는 게 아닐까? 누군가가 우리를
해치려고 사람을 모으려 하는 거 아닐까?

왔어?

응, 근데 많이 조용하네.

다들 일찍 들어갔나 보지.

그래, 괜찮겠지.

　　안일한 생각은 나를 망치기도 하지만, 찰나의
구원체가 되기도 한다.

개구멍들을 지나다 보면 마을을 나가는 문이 나온다. 거기로 나가면 여태껏 만나지 못했던 것들을 찾아볼 수 있었다.

너는 여기 많이 다녔지.

응, 근데 밖이나 여기나 별반 다를 거 없더라. 다 어른들 허풍이지. 왜, 긴장돼?

조금, 어쩌면 많이.

발을 내디뎌도 별반 다를 거 없겠지만은, 그래도 무언가를 처음 한다는 것은 긴장되는 감정을 이끌고 왔다. 이 아이를 처음 만났을 때 하고는 다른 감정이 들었다.

그런데 있잖아, 만약 뒤에서 누군가 쫓아오면 그건 어떻게 해야 할까.

어, 응?

발자국 소리가 세차게 들렸다. 뭐지, 왜 예감은 어째서 틀리지를 않는 것인가. 너무 억울한 거 아닌가, 새로운 삶을 살고 싶은 우리를 왜 그들은 가만히 두지 못하는 것인지.

저기 있다, 이 마을의 이단자가! 우리의 소중한 보물을
앗아가고 있다!

　　　우리가 생각한 어른들은 꽤나 더 영악한
존재들이었다. 우리를 쫓아오는 그 눈들은 사람이 아니라고
해도 과언이 아니었다. 적어도 산짐승처럼 보였다.

　　　본능적으로 도망쳐야 한다는 생각으로 무작정
달렸다. 나뭇가지와 뿌리가 발에 걸리고 머리에 걸려 추할
정도의 상태가 되었다. 괜히 좋아하던 옷을 입은 것 같기도
하고, 어떻게 이럴 수가 있는지 한숨만 나오는 상황에서
우리는 도망만이 살 길이었다.

조금만 쉬다 갈까?

　　　발 소리가 젖어들고, 사람들의 목소리 또한
작아졌다. 포기하고 이만 마을로 돌아간 것이 아닐까라는
생각이 들었다. 갑자기 몰려든 안도는 나를 나태하게
만들었다. 졸음이 몰려왔다. 당장이라도 쓰러질 것만 같았다.

아침이 오면, 그 때 다시 가자.

졸려?

응, 미안해.

괜찮아. 푹 자. 우리 내일 아침에는 꼭 바다 건너 다른 세상으로 헤엄치자.

사랑해.

나도, 사랑해. 그 3음절에 내 진심을 다 못 담을 정도로. 그러니까 잘 살아가자.

　　　알 수 없는 말을 도통 내뱉고서는 바닥에 눕혔다. 그리고 따뜻한 자신의 품 안에서 나를 재웠다.

　　　내일이면 더 나은 해가 떠 있기를, 내일이면 더 나은 우리가 될 수 있기를.

　　　신 님, 우리가 저 수평선을 건너 아름다운 세상을 맞이할 수 있게 해주세요.

어라,

옆에 있어야 하는 아이는 없고, 익숙하고, 커다란 존재들만이 내 곁을 둘렀다. 대체 어디로 간 건지, 설마 그 아이의 다음에 해당하는 사람은 나였던 것인가라는 절망과 원망의 생각도 함께 들면서 심장이 파이면 얼마나 고통스러울까, 내 목도 마을에 희생된 그 사람들처럼 매달려지게 되는 것일까와 동시에 결국 그 아이의 행방이 궁금해졌다.

너는 지금 실종이니, 죽은 거니, 날 버린 거니. 못다 한 생각마저 네가 하게 만들었다. 왜 날 두고 어디론가로 간 거야.

사린이, 아니, 미리가 없어요. 데리고 가신 거예요? 제발, 잘 있다고 해주세요. 차라리 저를 모질게 대하세요. 제가 잘못했어요. 그러니까 제발 그 아이만은.

눈물겨운 사랑이네. 얼른 가자. 애 꼴이 장난이 아니네.

미리, 걔는 안타깝게 됐어.

네?

바다에 빠져 죽었다야. 바위 위에서 발을 헛딛었는지, 뭔지.
마을에 끌어올라 와 있으니 한 번 마지막 인사라도 하든가.

　　　믿을 수 없는 말들의 향연이었다. 내가 두 눈으로
직접 보기 전까지는 그 아이가 죽은 것을 인정할 수 없었다.
사린아, 린아. 왜 네가 그렇게 죽어. 왜 네가 그렇게 가.
어떻게 그래.

사린아,

네가 어떻게 그렇게 갈 수가 있어.

나랑 영원을 고한 거 아니었어?

미안해, 잠시라도 너를 미워한 내가 너무 실망스러워.

조금이라도 더 널 사랑해 줄걸, 보듬어줄걸.

후회할 정도로 너를 왜 그렇게 못되게 봤을까.

사린아, 이제 일어나 봐.

우리 저 하늘도 넘실거리고, 바다에서 헤엄도 치고, 이 마을
건너 세상에서는 드넓게 펼쳐진 아름다운 풀과 초원들,
그리고 동물들과 공존하고, 대화하며 그렇게 살기로
마음먹었잖아.

내가, 내가 너무 큰 죄를 너에게 지은 거니.

내가 사랑한 그 아이는 영원한 바다의 모습으로 잠기었다.

-끝나지 못한 파랑

      헤매는 저 섬 안에서 내 머리가 요동친다. 대체 무얼 위해 여기까지 온 것인가, 결국 다시 돌고 돌아 제자리였다. 그 아이가 없다면 나의 삶이 의미가 있는가. 결국 나는 살아남을 수 있는 존재인가. 살아갈 수 있는 존재인가.

      바다를 좋아했다. 물을 좋아했다. 그게 그 아이가 좋아하고, 평생을 살아가도록 만든 것이었다. 실상, 바다를 본 적은 별로 되지도 않았다. 정확히 말하자면 어디로든 흘러갈 수 있는 자유로움을 좋아했던 것이다. 그래서 바다에 빠져 죽었다. 건져내 온 시신은 내게 눈웃음을 지어줬다.

      왜 우리는 살아갈 수 없었는가. 멋진 사람으로 세상을 살아서 늙을 때 죽을 수 없었는가. 우리는 결국 죽는다. 근데 이렇게 일찍 갈 필요도 없었을 것이다. 사람이 사람을 죽인다. 사랑은 그저 죽음으로 가는 도움을 줄 뿐이었다.

행복감에 젖어, 미래는 암담해 보이지는 않았지만
같이 살았던 그 시기는 어느 때보다도 행복한 삶이라 자부할
수 있다.

그렇게 나는 젖어들었다. 바닷물이 차갑다. 생각보다
그 아픔은 컸다.

사린이 남긴 마지막 발자국은 우리를 다시
연결시켜주게 하는, 다시 만나게 하는 연행 선상이었다.

깊어가면 갈수록 어두워지는 그 바닷속으로 그
헤매는 청춘들은 다 어디로 갔을까. 바다에는 저들만이 아는
자취를 남기고선 숨의 끝자락에 도달했다.

기어코 청춘이 익사했다.

기어코 우리가 살아졌다.

기어코 그들이 사라졌다.

그들의 부르짖음은 메아리가 되어 사라졌다.

낙관적 허무주의

내가 널 믿을 테니, 나랑 같이 저 절벽 너머 해가 넘실거리는 곳에서 뛰놀자.

하늘이 넘어가 숨어져 사는 그곳으로, 아무도 몰라 찾지도 못하는 그곳으로 우리 이사 가자.

날짜는 모른다. 아마도, 부패 정도는 3일이 되었을 거고, 죽은 정도도 아마 그쯤일지 모른다. 그게 뭐가 어떻게 되었든 간에, 2음절 단어 하나에 서술어가 그리 많을 필요는 없었다.

365일 그 1년 중 어느 날, 내 옆집 남자가 죽었다.

소리를 크게 한 번 치고는 사라졌다. 저 멀리, 멀리. 어쩌면 존재하지 않았던 내 환상일 수도 있다. 그래서 숨소리조차도 들리지 않았다.

그럼에도 불구하고, 환상이라 확신하지 않는 것은 매번 술을 마시고 내 도어록 비밀번호를 눌러댔었다. 어쩐지, 그 조차도 죽었기에 들리지 않았던 것이었다.

그래서 깨달았다.
내 옆집 남자는 어느 날 죽었다.

그래서 당연히 윤리적인 모범 시민으로서 신고했다.

"여보세요. 네, 여기 사람이 죽은 것 같아요."

"옆집 사는 아저씨가 며칠 동안 보이지도 않고, 인기척조차도 느껴지지가 않아요."

"네, 네. 여기 ————인데. 네, 네. 네,"

"아니요. 저도 그건 잘 모르는 일이라. 그냥 같은 아파트 이웃 주민이니까. 몇 번 인사한 거죠."

"네, 네. 네, 알겠습니다."

그냥 사람이 죽었다는데 왜 이리 확인해야 할 것이 많을까 지겨워 죽겠다는 생각이 들었다.

그나저나 저 처치곤란 남자를 어떻게 누가 치웠는지가 의문이다. 언제인지는 중요치 않다.

소위 말해 죽어도 싼 놈이었기 때문이다. 아직 다 크지 못한 사회인들이 혼자 사는 곳 문 앞에서 무작정 욕을 내뱉지 않나, 것도 모자라 술을 마시고 지 처자식들에게 난동을 피워 그의 가족들은 도망간 지 오래였다. 소음공해를 비롯해 사람 자체가 경박하고, 천박한 모습으로 생활했다. 머리가 어떻게 된 건지, 아니면 그냥 지 생을 포기한 건지 분간이 되지 않을 정도로 말이다.

다시 본론으로 돌아와 과연 그 남자를 누가 죽였을까,

간간히 층간소음으로 화내러 오는 윗집 아줌마?
그 남자와는 다른 선한 아랫집 아저씨?
그것도 아니면 간간히 낙엽 잎 청소와 층간 소음을 해결하러 오는 경비원?

그게 누구든지 간에 그 남자가 죽은 사실은 변함없는 기정사실화가 되었다.

종종 넋두리로 주변인에게 그 남자 욕지거리를 하고, 차라리 죽었으면 좋겠다는 망언을 퍼부은 적도 있다.

그러면 뭐 하나, 어차피 이걸 실현할 사람은 별로 없다. 얼른 누가 죽였는지, 그 남자가 자살인지, 타살인지 궁금해졌다. 아무래도 짐작 가는 인물 중 한 명임이 틀림없었다.

아,

신은 있는 존재였던 건가, 이런 내 소망을 들어주셔서 감사합니다.

아무래도 오늘 저녁에는 최소 3번 정도 존재하는지도 불명한 신에게 절하는 것이 내 신상에 좋을 것 같다.

요란한 전화벨 소리가 울려 퍼졌다.

"응, 여보세요."

"아, 나 이제 준비하고 있었지."

"어? 3시까지라고? 그래봐야 지금 2시인데, 뭐."

"그래, 미안해. 잔소리 그만해. 차 끌고 가면 금방이야."

"응, 응. 나도. 그래, 나도 사랑해."

목소리가 잔잔히 떨렸다. 아무래도 날 만나기에 크나큰 긴장이 되었는지도 모른다.

"응, 선아. 나 다 왔어."

"카페 안이라고? 그래, 나 다 왔어. 음료 하나 시키고 자리로 갈게."

수줍게 떨고 있는 사람이 보였다.

"아이스 아메리카노 한 잔이요."

"뭔 말하려고 불렀어? 평소엔 바쁘다고 잘 만나려 하지도 않더니."

"할 말이 있어서. 그러니까."

"맞다, 오늘 우리 옆집에 경찰 분들 왔다 가셨어. 옆집 남자가 죽었다고 하더라."

"안타깝게 됐네. 어, 나도 비슷한 일을 겪었는데."

"잠시만, 나 커피 좀."

"응."

아무래도 내 주변인이 그 남자를 살해한 게 맞는 것 같다.

"갔다 왔어?"

"응, 그래서 하려던 말이 뭐야?"

"나도 비슷한 일이 일어났어. 그, 옆집 남자가 죽었어. 경찰들은 한 달 전에 죽었다고 하네. 정말 몰랐어. 그걸 알고 나서야 드디어 고약한 그 냄새의 원인을 찾은 거기도 해. 그 사람은 술만 먹으면 난동을 피우고, 매번 우리 집 문 앞에 토하고, 노상방뇨하고, 역겨운 짓까지 다 통 틀어서 하는데. 그걸누가 참을 수 있겠어. 맞지? 그래서 누가 죽였나 봐. 살인 사건이래. 그래서 아파트에 있는 모든 사람이 지금 용의자래. 나는 아무런 잘못한 게 없는데. 그냥 그 사람이 실수로 바닥에 미끄러진 건 아닐까? 그래서 머리가 깨지고, 피가 흘렀던거지. 근데 운이 안 좋아서 세면대가 깨지는 동시에, 거울도깨져버리고 그렇게 욕실이 산산조각 나 버린 건 아닐까. 옆에망치도 있다고 하는데, 또 욕실에서 지 넋두리, 분풀이하려고들어갔다가 헛디딘 거지. 맞지, 그럴 거 같지?"

눈동자 흔들리는 것이 이렇게 선명하면 다 들킬 텐데, 손도벌벌 떨고 있고, 입술도 새파랗게 질려서 깨물고 있고, 만약너 앞에 있는 게 내가 아니라 경찰이었으면 어떡하려고 이렇게 떨면서 말해.

"선아, 그 얘긴 우리 집에서 할까? 여기는 너무 사람이 많기도 하고."

"응? 그래도 되면 상관없긴 한데. 근데 너무 이상하잖아."

"그러면 며칠 있다가 또 볼까? 내일은 바쁠 것 같고, 모레에 만나자."

"그래, 응. 네가 그렇다면야."

사실 아직 확실하지는 않다. 정말 걔가 죽였는지, 단순 목격자로 거기에 들어간 건지. 전자일 가능성이 당연히 높다. 후자는 애초에 걔는 주변 지인들이 없을 정도로 사람이 없는 아이니까. 또, 내가 그 사람에 대해서 말했던 사람은 그 애뿐이니까.

"네, 여보세요."

"조금만 기다려주실 수 있나요? 제가 지금 밖인지라."

"네, 감사합니다. 금방 가도록 하겠습니다."

이건 약간의 우연이었다. 어쩌면 먼저 신고한 자에게 준 행운일 수도 있고, 그런데 그것을 행운이라고 생각하는 사람은 나쁜일지도 모르니 사람 하나 신고한 건 정말 완벽한 것이 아닐까.

"옆집 분과의 친분은 어느 정도셨나요?"

"가족관계도 다 알 정도였죠. 매번 저와 교류할 정도로 오랫동안 같이 있었어요."

"죽었는지는 어떻게 아셨나요?"

"매번 초인종을 누르시고, 제 집에 들어와 대화했으니까요. 근데 한 순간에 아무런 소리 없이 사라지시니 이사 갔는 건가 싶기도 하고, 걱정됐어요. 근데 결국 이렇게 가버리시니, 안타까울 뿐이죠."

"그러면 최근에 다른 일은 없으셨나요?"

"갑자기 쿵 거리는 소리가 들리긴 했는데, 정확히 언제인지는 기억이 안 나네요. 아마 최근이었을 겁니다. 근 한 달 정도요."

"네, 답변 감사합니다."

"이제 가보면 될까요?"

"아, 그전에 이거 CCTV영상인데, 제일 최근에 그분께 방문한 사람이 이 분이신데. 혹시 짐작가는 사람 있을까요?"

"잠시만요. 조금 더 확대해서 볼 수는 없을까요?"

사실 정확한 초점으로 보지 않아도 알 수 있었다. 그 삶이 누구고, 누가 옆집 남자를 죽였는지는 바로 확인할 수 있었다. 사실, 확대해서 본다는 것은 정확히 그 사실을 직면하기 위해서였다. 그래, 내 예상이 맞았다.

내 주변인이 옆집 남자를 죽였다.

뭣하러 괜한 헛걸음질을 치며 범인을 잡겠다고 안달 난 경찰들이 우스웠다. 날 바라보는 시선조차도 내가 범인일 거라는 생각은 하지 않는 것이 너무 안이한 것 아닌가. 물론 내가 범인은 아니다. 따로 있다. 그게 내 주변인이라는 것만 빼면 나는 결백한 모범 시민이다.

"고생 많으십니다."
"진술한다고 신고자 분이 더 고생하셨죠. 만일, 해당 진술이 거짓이면 신고자 분께서도 피해본다는 것도 명심하세요. 그리고 이거 나중에 더 특별한 일이 생기면 여기로 말해주시고요."
"네, 물론이죠. 특별한 상황이 아니면 거짓말은 안 하는 것이 좋죠. 필요하시면 또 불러주세요."

"선아, 우리 그냥 내일 볼까? 일이 잘 풀려서 말이야."

"응, 그래. 네가 그렇다면야, 나는 상관없어. 어디서 볼까? 우리 집? 아니면 너네 집?"
"음, 너네 집에서 보자.
"응, 빨리 만나면 좋겠네."

"선아."

"응?"

"사랑해."

"나도. 그러니까 내일 무조건 만나. 알겠지?"

"응."

　참 단순한 사람이기도 하며, 곧이곧대로 무언갈 믿어 사이비에 자주 들락날락거릴 사람이기도 하다. 그럼에도 불구하고, 너는 아름다운 걸. 사랑스러운 걸.

　영원히 내 품에 안겨 살아갔으면 좋겠어.

"왔어?"

"응, 화장실은 어디야?"

"아, 저 끝 방에 있어."

"그래, 그것보다도. 저번에 옆집 남자가 죽었다고 했잖아."

"어, 응. 그랬었지."

"내가 사건 신고자로 CCTV를 좀 보게 됐어. 그 아저씨와 친분도 있다고도 했고."

점점 흔들리는 동공, 파르르 떨리는 입술이 눈에 선하게 보였다.

"그래서 그 사람 얼굴을 봤어. 그 모습이 참,"

"있잖아. 내가 죽였어. 그 사람, 내가 죽였어. 네가 그 사람을 너무 싫어하는 것 같길래, 막 죽었으면 좋겠다고. 누가 나서서 머리라도 깼으면 좋겠다고. 그래서 내가 무심코 죽여버렸어. 사실, 처음부터 그렇게 하려던 건 아니었는데. 그냥 위협만 하려고 했어. 그런 짓 하면서 살지 말라고. 근데 어쩌다가 그 인간이 발을 헛디디는 바람에 나까지 미끄러졌어. 그 과정에서 거울이 깨지고, 세면대가 박살 난 거야. 더 이상 참을 수가 없었어. 매번 들려오는 소리들과 짜증에 나도 참을 수가 없었어. 어떡해, 나 이제 감옥 가는 거지? 그래, 오히려 안 가는 게 이상하겠다. 어떡해."

"아니야, 아니야. 선아. 그리고 내가 언제 그런 말을 했다고."

"뭐가 아니야. 내가 죽였어. 그리고 언제 네가 그런 말을 한 적이 없어. 네가 그렇게 분명 말했잖아."

"무슨 소리야. 내가 언제 그런 말을 했어."

"네가 분명, 했던 거 아니었어?"

"내가 그 정도로 막말할 사람으로 보여?"

"그러면, 그럼 나 이제 어떡해. 그냥 아무런 이유 없이 사람 죽인 거네."

"경찰들이 말해. 네가 사람을 죽였대. 정말 잔혹하게도 죽였대. 근데 어떻게 네가 그래. 그렇게 착한 네가 어떻게 사람을 죽여. 내가 다 알잖아. 만약 법정에 가더라도 내가 증인이 되어 줄게. 알았지? 너는 아무도 죽이지 않았어. 그 누구도. 그냥 누명인 거야. 널 너무 싫어한 사람들이 배 아파서 그런 짓을 한 걸 거야."

"정말? 아니, 진짜로?"

"응, 너는 살인자가 아니야. 사랑해. 사랑해. 내가 널 믿을게. 내가 아니면 누가 널 이렇게 믿겠어. 사랑하겠어."

"아니, 근데."

"위선."

"응?"

"내가 널 믿겠다고. 내가 널 믿을 테니, 나랑 같이 저 절벽 너머 해가 넘실거리는 곳에서 뛰놀자. 조금만 더 참아보자."

"나 정말 아무런 걱정 없이 살 수 있는 거야?"
"아무래도. 그렇지 않을까."

"괜찮아. 내가 있잖아."

"네. 고생 많으십니다. 아무래도 제가 그때 영상을 잘못 본 것 같아요."

"아니. 부정하고 싶었어요, 사실. 근데 그 사람 제가 아는 사람인 것 같아서요. 물어보니 맞다고도 하고. 저도 정말 황당하네요."

"증거요? 아, 증거야 있죠. 언제 가면 될까요?"

"아, 언제든지요? 좋습니다. 네, 네."

"네, 들어가세요."

곤히 잠들어서 아직 아무것도 모르는 위선이 안타깝긴 하지만, 내 앞 길을 위해선 결국 희생되어야 하는 존재다. 너무 내 말을 잘 듣는 것도 문제기도 하고. 사람 말을 어떻게 이렇게 잘 듣는지, 감옥 가서는 괜찮을지. 걱정이 된다. 적어도 내가 제일 거슬려했던 것을 치워줬으니 며칠 정도는 더 숨겨주는 게 맞겠지.

"있잖아."

"응?"

"나 정말 잘못한 거 아니겠지?"

"내가 말했잖아. 아니라고."

"사랑해."

"나도. 저 멀리 이곳보다 더 멋진 곳으로 가게 해줄게. 하늘이 넘어가 숨어져 사는 그곳으로, 아무도 몰라 찾지도 못하는 그곳으로 우리 이사 가자."

봄을 고하다

저 봄, 찬란한 춘분 속에서 너는 숨을 거뒀다.

내가 말했잖아. 나는 저 미래에서 왔다고.

봄인데도 불구하고, 어쩌면 그때는 봄이 아니었을지도 모른다. 하지만 벚꽃 잎이 피고 얼었던 땅들이 녹았으니 봄일지도 모르지만 말이다. 정확하게 기억나는 건 없다.

그저 정확히 기억하는 건 저 봄, 찬란한 춘분 속에서 너는 숨을 거뒀다.

그 외, 제일 기억나는 건 눈이 소복이 내리고 오랜만에 김이 폴폴 나는 치킨 한 박스를 들고 집으로 향하는 길이었음은 분명했다. 비록 크게 유명한 프랜차이즈 집들의 치킨은 아니었지만, 동네에서 맛은 알아주는 치킨집이었다. 따끈따끈한 치킨이 혹여 가는 길에 추운 바람을 맞아 차가워질 세라 품 안에 꼭 껴안고, 들고 갔다.

하나의 사치였다. 가난에 찌들어 밥도 제대로 먹지 못하면서 오늘 돈벌이가 조금 잘 되어 샀다. 팔리지도 않는 싸구려 옷들을 팔며, 매번 천 원도 되지 않는 라면으로 매 끼니를 때웠다.

그래도 괜찮았다. 내 삶을 살아가게 해주는 사람이 있었다. 집에는 나와 함께 사는 사람이 나를 매번 반갑게 맞이해 주고, 행복하게 해 준다. 아무리 늦게 들어오더라도 그때까지 깨어 있어 걱정되게 하기도 한다.

바닥이 따끈한 것도, 공기가 따뜻한 것도 아니다. 단순, 오래되어 바느질로 구멍을 메꾼 이불 몇 겹과 팔리지 않고, 해져버린 옷 몇 겹을 껴 입으면 됐다.

가난함에 나 자신이 온전히 묻히는 삶을 살아가고 있었지만, 크게 부족함은 느끼며 살지 않았다.

"나 왔어."

지나치게 고요한 건 불안감을 엄습하게 해 온다. 내게 닥칠 시련의 조짐일지도 모른다.

매번 꽁꽁 밧줄과 실로 묶어놓은 철 대문은 오늘따라 헐렁하게 풀려 강도라도 들어오라고 홍보하는 꼴이었다. 다 무너져 헌 담장은 왜 이렇게 눈에 들어오는지, 고양이나 강아지나 자칫하면 산에서 내려온 짐승들이 뛰어넘어 온 집 안을 헤칠 것 같았다.

그래, 조금 더 열심히 살아서 담장도 고치고, 철 대문도 고치고. 아니, 그것보다 이 참에 차라리 이사를 가야겠다. 보온도 잘 되고, 문도 안전하게 여닫을 수 있고.

주택으로 이사 갈까? 아니, 아파트가 나으려나. 아무래도 경비원 아저씨들도 있고, 쓰레기 버릴 곳도 편하고. 근데 요즘 층간소음이 심하다던데, 스트레스 안 받으려면 주택이 나으려나. 빌라로 갈까. 조금 싼 곳이면 괜찮을 것 같은데.

"나 왔어. 많이 피곤해?"

보통 이러면 말 한마디라도 들리는데. 새근새근 거리는 숨소리라도 들리는데, 적막만이 존재했다.

끼익 거리는 나무 소리, 오늘은 보일러를 한 번도 돌리지 않은 건가 의심될 정도로 차가운 공기.

"내가 치킨 사 왔는데, 조금만 먹어,"

어라,

이건 내가 생각한 미래가 아니었는데.

매서운 바람에 치킨은 차갑게 식어져만 갔고, 바닥에 조각 조각 하나가 널브러져 먹을 수도 없었다.

오늘은 동네 맛집 치킨보다 프랜차이즈 집 치킨을 사 들고 갈 걸 그랬나 보다.

내가 그날, 무언가 잘못 말한 것이라도 있을까 라는 고민이 되었다. 똑같은 아침이었다. 서로에게 잘 잤냐고 물어보고, 늘 그렇듯 옷을 챙겨주고, 밥을 챙겨주고, 잘 가라는 인사와 함께 손을 흔들었다.

사실 아무것도 없었다. 싸운 적도, 누군가 일방적으로 화낸 적도 없을 정도로 주변에서 금슬 좋은 부부라는 소리를 많이 들었다.

나는 잘 몰랐다. 그렇게까지 그 사람이 힘들었는지, 내가 더 좋은 삶을 지어주게 하지 못했다. 결혼하기 전, 그렇게 소리를 치며 허락을 받았는데 말이다.

거기에서 어떤 회의감을 느꼈을지도 모른다.

장례식은 조촐했다. 누가 오지도 않을 것 같아서 음식도 하지 말라고 했다. 어차피 둘 다 주변에 아는 사람도 없었고, 부모님들도 일찍 돌아가셨다. 친척들과의 연락이 끊어진 지도 벌써 몇 년이나 됐다. 부양할 가족도 없었고, 아이도 없었다. 손주를 못 보고 가신 게 매번 한이라고 하였지만, 우리가 그럴 여력까지는 되지 않았다. 오히려 아기라도 있었으면 이런 상태가 되지 않았을까 하는 생각이 들었지만, 오히려 그건 그에게 더 부담이었을 것이다.

　빈소에는 나 혼자만 우두커니 앉아있었다. 새하얀 국화꽃 안에 있는 사진도 조촐했다. 평소 찍어둔 사진이 없었고, 사용하고 있던 휴대폰에도 그리 화질이 좋은 사진은 없었다. 이럴 줄 알았으면 조금이라도 더 많이 놀러 가고, 웃는 모습을 많이 찍어둘 걸 그랬나 보다.
　치킨이라도 먹고 가지. 조금만 더 빨리 집에 도착했다면, 이런 일은 없었을까.

　금세라도 저 사진 안에서 사람이 튀어나와 왜 울고 있냐고 말을 걸 것만 같았다.

　아, 인생은 이리도 허무하게 가는구나.

그래도 장례식은 3일장을 했다. 차라리 밥까지 할 걸 그랬다. 밥이라도 먹고 떠나라고, 라면으로만 채운 속 메말랐지만 그래도 하얀 쌀 밥이라도 먹일걸. 평소 먹지도 못하는 고기랑 빨간 국물 좀 먹일걸. 제사도 못하는데, 돈이 없어서 그런 것도 못하는데 그 3일 동안 돈이 아깝다고 쓰지 않았던 내가 바보 같았다.

화장되고 난 남은 뼈는 보기 싫었다. 내가 그렇게 사랑하던 이가 한 줌의 재로만 남았고, 결국 바닥에 널린 돌이 된 것만 같아서 거부했다.

알아서 잘해달라고 했다. 내가 유일하게 할 수 있는 마지막 추모 방법이었다.

유골함을 받았다.
이 안에 내가 여태껏 기억한 사람이 함께하고 있다.
허무하다.

그놈의 돈이 뭐라고, 계속해서 발목을 잡는다. 목을 조른다. 유골함을 둘 납골당에 돈을 낼 여력도 없다. 강과 바다에 뿌려 멀리멀리 세상을 보고 살라는 마음도 있었지만, 벌금이 만만치 않았다. 사람이 없는 곳인지라, 몰래 뿌리면 된다. 뒷산에 흐르는 물에 뿌리면 쾌적한 공기를 맡으며 살아가겠지. 그런데 만약 몰래 걸리기라도 한다면 그건 내가 감당할 수 없었다.

땅에 묻을까, 마지막까지 못해주었으니 그냥 납골당에 돈을 낼까, 것도 아니면 그냥 걸리더라도 뿌릴까. 당최, 결론이 나지 않는 수수께끼였다.

돌고 돌아 그냥 집으로 들고 왔다. 조금 더 고민하고, 정말 완벽한 곳에다가 묻던지, 뿌리던지, 놔두던지 해야겠다.

집 안에서는 그 사람 냄새가 났다. 특유의 그 냄새가 이때까지 잘 버텨왔던 마음들을 다 무너지게 했다. 빨래해서 개어놓은 옷가지들, 이불을 펴고 자다가 집안일을 한다고 바빠 차마 개지 못해 널브러진 것들. 자기 없는 삶을 열심히 살아가라고 마지막엔 모든 집안일들이 다 마무리되어있던 상태였다. 더 비참해졌다. 대체 무엇이 우릴 이렇게까지 만들었는지. 대체 무엇이 그 사람을 그렇게까지 몰아가게 했는지. 비참한 인생을 되돌아보며 자리에 누웠다.

옛날에, 그것도 아주 오래전에 지어진 집이라 냉풍이 불었다. 원래 이렇게까지 추운 곳이 아닌데, 사람 한 명이 빠졌다고 너무 달라지면 버티기 힘든 거 아닌가.

옷장을 뒤져 그 사람이 제일로 좋아하던 목도리 하나를 꺼냈다. 아끼고 아낀다고 10년 전에 사줬던 것인데도 불구하고 지금 당장 원가로 다시 팔아도 남들이 다 속을 정도의 상태였다. 차라리 돈 걱정 없이 살 수 있는 사람과 결혼했으면 이 정도로 고생하지는 않았을 텐데 말이다. 눈물은 뚝뚝 흐르고 그칠 새를 몰랐다. 도저히 내가 그 사람을 잊지 못하겠다는 마음이 너무 강했다. 내가 많은 눈물을 흘리면 다시 돌아오지 않을까. 눈물로 밤을 지새우고, 지새운다면 결국 다시 돌아오지 않을까로 꼭두새벽까지 울었다.

도저히 잊히지 않는 사람을 꿈에서라도 만나려 한다.

꿈은 자신이 원하는 걸 들어주거나 무의식 속에 잠겨있는 무언가를 꺼내기도 한다.

그걸 위해서 내가 잠들었던 것이다.

"여보?"

"정말 당신이야?"

"맞다고 해줘. 그렇지? 나 보러 왔어?"

한 발자국씩 다가가며 그 사람을 안으려 했다. 꼭 껴안아 품 안에 넣고 영원히 보내주고 싶지 않았다.

"내가 미안해. 그러니까 다시 돌아와 주라."

"적합한 사람인 것 같네!"

안으려고 다가갔다가 결국 흔적도 없이 사라졌다. 아무리 꿈이라고 하지만, 이건 너무.

"너무 그런 눈빛으로 보지 마. 나는 널 구하러 온 존재니까."
"그게 무슨."
"내가 널 구원해 줄게. 너도 그 사람이 보고 싶을 거 아니야."
"그렇긴 하지만, 대체 무슨 목적으로 그런 걸 들어준다고."
"그냥 본래 후회되는 사람한테 주는 기회야. 자, 원해? 그러면 내 손을 잡아. 그리고 이 꿈에서 깨고, 밖으로 나가. 이제 과거임을 인정하면 돼."

"만약 싫다면, 이제 더 이상 사랑하는 사람을 보지 못한다는 후회로 가득 차 살면 되고."

"할게요. 그러니까 제발. 그 사람을 다시 만날 수 있게 해 주세요."

"그래. 좋은 선택이야."

보이지 않는 손을 잡고 눈을 다시 떴다.

순간적으로 억하는 심정으로 일어났다.

개꿈이다. 하지만 그렇다고 생각하기에는 너무 생생했다. 별 희한한 생명체가 내 눈앞에 나타나 이상한 구원을 해준다고 하지를 않나. 그래도 날짜를 확인하는 순간까지 긴장했다.

X월 xx일. 그 사람이 죽은 그날이다.

"일어났어?"
"어, 응. 잘 잤어."

평상시와 다름없는 생활이었다.

"저기."
"응?"
"아니야."

　내가 조금 더 일찍 들어온다면, 그 일은 막을 수 있지 않을까 라는 생각이 들었다.
"다녀올게."
"조심히 다녀와."
"응. 사랑해."

　제대로 하지도 않던 포옹을 오랜만에 했다. 제발, 일찍 올 테니 아무 일 없이 무탈하기를 바란다. 사랑하는 사람을 두 번이나 잃는 것은 죽도록 고통스러우니까 말이다.

뭔가 오늘은 느낌이 달랐다. 왠지 돌아가면 다시 원래의 삶으로 갈 것만 같은 기분이 들었다. 차라리 먼저 전화를 해볼까, 그리고 먹고 싶은 게 있는지 물어보고 돈도 잘 들어오는 날이니까 평소보다 더 질 좋은 음식도 사주고, 옷도 더 이상 바느질해서 살지 말라고 옷도 좋은 거 가져가서 입혀야겠다.

사실 일하면서 생각한 모든 것은 내 환상이지 않았을까란 어이없음이 표출됐다. 어쩌면 정해진 운명이라도 있는 것이었을까. 신은 무심했다.

집으로 돌아오자 또 들리는 그 불안감의 끼익 소리, 분명 전보다 1시간이나 더 일찍 왔다.

이것도 너무 늦은 거라면, 도대체 언제 그 사람이 죽은 것인지. 도통 이해가 되지 않았다. 다음번에는 기회가 있을까? 있어야만 하지 않을까.

만약 또 잔다면 그 존재가 나타나면 좋겠다. 지금 이 상황에서 제가 자도 또다시 기회가 돌아올까요?

그렇다고 하기에는 죽은 이를 두고 그런 상상을 더 할 수 없었다.

한 번 해 본 장례식을 두 번 했을 때엔 더욱 막힘이 없었다. 또 바스라진 뼈가 들어 있는 유골함을 집으로 들고 와 머리맡에 두었다.

옷장을 열어 제일 아끼던 목도리를 품 안에 안고 헛된 희망을 가지며 다시 잠에 들었다.

내가 다시 그 꿈을 꾸기 바라며, 다시 한번 그 사람을 만나기 바랐다. 그래도 이 정도면 많은 바람을 들어준 게 아닐까.

"얼마나 더 기회를 주면 할 수 있겠어."
"네?"
"얼마나 많은 기회를 줄까."
"그 사람을 살릴 수 있을 만큼. 살릴 때까지 기회를 줄게. 중간에 포기해도 좋아."

몇 번이고, 계속해서 그 사람을 살리기 위한다면, 어떻게든 살릴 수 있는 것이 아닐까 라는 바보 같은 생각을 했다.

이 생을 몇 번이나 살아가고 기억이 계속해서 남아있는 것은 오직 나뿐이었다.

"여보, 우리 오늘 맛있는 거 먹을까?"
"오늘 일찍 들어올 테니까 잘 지키고 있어."
"나 오늘 일하러 가지 말까?"

몇 십 번, 몇 백 번을 계속해서 시도하고 또 시도했다. 같은 말을 반복하고 심지어는 일하러 간 적도 없었다. 1시간을 일찍 들어오든, 3시간을 일찍 들어오든. 내가 잠시라도 한 눈을 팔면 그 사람은 죽은 모습으로 나를 보고 있었다.

지겨웠다. 이유도 모른다. 정말로 자신의 삶이 지겨워서 죽은 거가 맞는 것만 같았다. 그날 하루, 그 사람에게 내 모든 것을 바치고 좋은 옷을 사 들고, 맛있는 것을 사 들고 가더라도 그 사람은 죽어 있었다.

꼬박 하루를 빼먹고 그 사람과 함께 있는 것을 택한 적도 많다. 그럴 때마다 매번 그 사람이 좋아하던 것을 하게 하고, 새로운 것도 도전하게 했다. 하지만 다음날이 되면 매번 마주치는 것은 차갑게 식은 그 사람만이 반기었다. 다음날까지는 같이 있을 수는 있지만, 그 이상을 넘기기에는 무리임을 자각시켰다.

그 사람은 계속해서 죽었고, 나는 계속해서 살았다. 그 사람이 살아있는 미래는 아직 신이 만들지 않았나 보다.

신은 너무 비약했다. 세상의 아픈 것들을 몽땅 착한 이들에게만 나누어 주었다.

또다시 아침은 밝아왔다. 그 죽음을 바라보는 것은 더 고통을 주기만 했다. 어쩌면 그 사람은 이만 가고 싶어 하는 걸지도 모른다.

화가 나고, 짜증이 몰려왔다. 무능력한 내 탓임이 분명함에도 그 사람에게 화살촉 방향이 돌아갔다. 그래서 쓴 말들만 뱉어냈다.

"여보."

"응, 일어났어?"

"우리 이제 그만 죽지 않는 삶을 살면 안 될까."

"그게 무슨 소리야."

"있잖아, 나 당신이 죽는 미래에서 왔어. 저 먼 미래에서 왔다고. 그리고 당신을 살리기 위해 계속해서 이 날을 반복하고 있어."

"아직 잠에서 덜 깼어?"

"잠, 그래. 정말 많이도 잤어. 아마 몇 년은 안 자도 될 거 같아. 근데 내가 그 많은 시간동안 해주고 싶은 말을 제대로 못 해줬어."

"당신이 죽지 않고, 돈에 허덕일 필요도 없는 그런 완벽한 삶을 만들게. 가난에 허덕이지도 말고, 추위에 떨지도 말고, 먹고 싶은 거 마음껏 먹고, 그런 삶을 내가 만들어 줄게."

"그러니까, 그러니까 여보. 우리 조금만 더 살아보면 안 될까?"

어이없다는 표정과 함께 그게 무슨 소리냐는 말로 내게 되물음 했다.

"미안, 내가 괜한 헛소리를 했네."

나갈 채비를 끝내고 잘 다녀오겠다는 말 한마디와 함께 밖으로 나갔다.
일하러 갈 생각은 전혀 없다. 10분 정도 시간을 밖에서 허비하고 다시 집으로 들어갔다.

그래, 이게 이 사람의 운명이구나. 이미 다 예상한 결과였다. 이젠 놀랍지도 않았다.

"그냥, 포기할게요. 어쩌면 그 사람을 보내주는 것 또한 그 사람과 절 위한 것이 아닐까요. 더 이상 그 사람의 죽는 모습을 보기에는 제가 더 고통스러워질 것만 같아요. 또 이기적인 말일 수도 있지만, 살아있는 사람은 죽은 사람에게 미련을 버리고 살아가야 하니까요. 그러니 이제 보내줄래요."

그 존재는 아무 말없이 희미한 웃음과 함께 내 품을 스쳐 지나갔다. 따뜻한 온기를 내게 주고, 지겹도록 꾸었던 그 존재의 꿈으로부터 일어났다.

일어난 곳은 다 헐어지고 춥디 추운 노란 장판 위였다. 그리고 머리맡에 놓인 유골함도 품 안에 껴안았던 목도리도 쓸쓸히 있었다. 그 사람이 두고 간 모든 옷들을 금방 처분할 수는 없을 것이다.

공허한 마음이 들고, 여태껏 해왔던 것이 모두 다 후회로만 가득 찼다. 다 꿈일까 라는 생각과 계속해서 반복해 온 루프 속에서 남은 것은 하나도 없었다.

그래도 많은 죽음과 장례식을 함께 하면서 그 사람을 어디에 묻어줄지는 결정된 듯하다.

다음 생에는 더 좋은 삶을 누리며 살라고 대문 앞 몇 십 년 묵은 은행나무에 묻으려 한다.

나보다 더 좋은 사람을 만나고, 더 좋은 환경에서 살아가요,

내 사랑.

Hello, World!

우리도 한 때 빛나는 시기가 있었는데.

만일, 내가 사라진 대도 그리워하고 사랑하는 사람들이 남아있을 것이라 믿는다.

뜬금없겠지만 며칠 후, 내 세상이 망한다. 몇몇은 그게 무슨 허풍이라는 소리를 해댔다. 그러게나 말이다. 나도 세상이 망할 줄은 꿈에도 몰랐다. 지금 이 상황을 어떻게 받아들여야 할까. 사실 나도 건너 건너 들은 거라 정확하지 않다. 하지만, 그 사람이 말할 때의 눈은 공허하고, 허탈해 보였다.

창조주들은 피도 눈물도 없는 존재들이다. 나는 아직 여기서 멀쩡히 살아가고, 밭을 가꾸고, 집을 일궈나가고 있는 존재임이 분명한데, 왜 우리를 사라지게 하려 그러는 것인가.

어디 하나 다친 구석 없게 하고, 모두 멀쩡하게 만들었으면 그에 대한 책임은 져야 하는 것이 아닐까 생각하고 있으면서도 돈이 궁핍하여 그런 것인가, 더 이상 우릴 돌볼 능력이 부족한지에 대해 그들을 걱정했다.

하지만 불행히도 나는 그들에게 더 이상 불필요한 존재라는 것을 깨달았다. 그들은 나를 절벽에서 구했으면서 다시 그 끝 너머로 밀어버리는 잔혹한 성질을 가졌다.

-우리 세상이 이제 끝이 난대. 언제 끝나는지는 잘 모르겠지만, 너무한 거 아닐까.

  -어디서 들었는데? 헛들은 거일 수도 있지. 너 그거 저번에 사람 몰렸을 때 들은 거라며. 세상이 그렇게 빨리 망하지는 않아. 착각인 거 아니야?

  -그래. 그런 거겠지. 아무래도….

  -근데 요즘 자주 보이던 애들이 안 보인다. 걔네랑 놀 때면 즐거웠는데. 첫인사는 어떻게 했더라? 만나서 반가워였나.

  -다 까먹어서 기억도 안 나네. 아마 이곳에 온 걸 환영해라는 말로 시작했을 거야.

  -그래, 그랬지. 그게 벌써 몇 년은 됐을 거다. 그리고 마지막에 잠깐 떠날 때라도 되기만 하면 울어댔지.

  -그것도 다 지나서 추억이 돼 버렸네.

  -하, 걔네들은 다 어디로 가서 지금 뭘 하고 있을까?

  -음, 다들 어디로 여행 간 거는 아닐까? 다들 꿈이 휘황찬란해서 들을 때마다 신나곤 했잖아.

  -그렇지.

  -지금도 그런 애들이 있을까?

  -많기야 하겠지. 근데 요즘은 새로운 애들도 안 보이고, 옛날에 비해 우리도 많이 놀고 있는 거지. 그래도 기다리다 보면 오겠지.

  -그전에 사라지지 않기를 바라야 할 수도 있겠지만 말이야.

-그거 다 헛소문이라니까. 그러다 너 진짜 없어질 수도 있다?

-그래. 괜찮겠지.

-진짜 요즘은 하루하루가 지루해. 새로운 사람도, 옛사람도 없이 잠깐 누가 방문한다고 해도 바로 나가버리니. 우리가 뭘 잘못한 거기라도 한 걸까?

-최선을 다 했잖아. 그것만으로도 우리가 할 일은 다 한 걸지도 몰라.

-우리도 한 때 빛나던 시기가 있었는데.

그것도 다 한 때라는 수식어가 붙어야만, 우리가 빛났다. 이제는 구석에서 사람들을 기다리며 농사를 짓고, 이웃들과 사는 삶이라는 슬픈 사실이었다.

-뭐, 더 푸념해 봐야 소용 있나. 그럼 나는 이만 밤이 어두워져서, 가족들이랑 밥 먹으러 가볼게.

-그래. 맛있게 먹어.

우리 세상이 망한다는 모든 내용들은 다 외부에 있는 사람들로부터 들었다. 물론 그들이 정확하다고 확신할 수도 없는 노릇이지만, 자기가 살고 있던 터가 없어진다는 것을 들으면 그게 제 아무리 가짜뉴스라도 믿게 된다.

내가 세상이 망한다는 것을 정확히 듣게 되었던 때는 오래되지 않았다. 그날은 오랜만에 새로운 사람과 옛날에 잠깐 보았던 사람들이 마을에 갑자기 들이닥치면서 벌어졌다.

너무 오랜 시간 동안 사람들이 오지 않아 일해야 하는 시간이 비어버려 여가시간으로 나태해진 우리는 집에서만 지냈다. 그전까지만 해도 마을 입구에서 2명 정도는 사람을 맞이해 마을을 둘러보게 하고, 농사도 지어보게 하는 것이 목적이었는데 말이다. 그래서 더 안일했고 바빴던 날이었다.

"여긴 곧 망한다더니 진짜였나 보네."

바쁜 와중에도 누군가가 한 말이 황당하여 곧장 달려가 되물었다.

-그게 무슨 소린가요?

"아쉽게 됐지. 뭐."

알 수 없는 말을 도통하고는 순식간에 사라졌다. 그러고는
세상이 이상해지는 것을 나만 눈치챈 것 같다.

원래 이 땅이 이렇게 거칠었나 싶기도 하고, 내 농장이 점점 작아지는 것만 같았다.

키우던 딸기도 작아졌다. 기후가 변한 것인지, 내가 물을 최근에 잘 주지 않았던 것인가.

그러고 보니 하늘도 조금씩 이상해진 것 같다. 원래 저렇게 색이 탁했는가 싶기도 하고, 이 풀도 이렇게 흐린 초록색이었나 싶다. 점점 더 색들이 흐려지고, 약해지고 있었다.

내가 알고 있던 세상이 점점 아니게 되어 가고 있었다.

세상은 아주 조금씩, 또 천천히 망해가고 있었다.

-정말 세상이 망하는 것 같아. 너는 달리진 걸 못 느끼겠어?

-또 그 이야기야? 솔직히 한 10번은 들은 거 같아. 세상은 그렇게 빨리 망하지 않아.

-아니, 내 말을 믿어봐. 딸기가 원래보다 더 작아졌어. 농장도 그 크기가 더 줄어들게 됐고, 잔디도 너무 거칠어졌다고.

-너 요즘 그 말 듣고 너무 의식적으로 사는 거 아니야? 내가 말했잖아. 몇 번이고, 계속해서. 오히려 그런 말로 네가 이상해져서 그렇게 느끼는 거라고 생각해.

-하지만 정말로 세상이 망하면 우리가 여태껏 일궈 놓은 것들이 다 없어지니까.

-정말 너 때문에 세상이 망하겠네. 그런 말 다른 사람들한테는 하지도 마. 워낙 착하고 정 많은 사람들이라 네 말 곧이곧대로 믿었다가 이상해질 게 뻔하니까.

내가 남들에게 이런 말을 하는 것이 보인 것은 두 번뿐이지만, 실제로는 더 많은 말을 했다. 그래서 진절머리가 난 것일 수도 있다. 내가 정해진 삶을 따라가는 것이 아니라고도 말하고, 그런 소리를 하면 우리에게 불이익이 들어온다고도 하고.

나도 안다. 너무 잘 알아서 문제였다.

나는 제일 초기에 있던 이 마을의 구성원이다. 그리고 아까까지 나를 비판하던 그 친구도 초기 구성원 중 한 명이었다. 그래서 나는 이 마을을 더 잘 알고, 아꼈고, 사랑하고 있다. 오히려 그게 독이 된 것일 수도 있다.

나는 마을만을 사랑했다. 또 옛날에 오던 그 사람들만을 반기었다. 그 안에 마을을 이루고 있는 나와 같은 이웃들은 전혀 관심을 두려 하지 않았다. 먼저 다가오는 사람들을 밀어내지 않았지만, 그 외에는 다 거리를 두었다.

그에 반해 그 친구는 마을의 모든 것을 사랑했다. 삭아져 가고 있는 나무 울타리, 푸르게 자라던 모든 언덕의 잔디들, 부서져 가고 있는 마을의 주요 우물, 그리고 마을을 대표하는 모든 정원의 꽃과 농장의 채소들과 그 모든 것을 이루게 하려는 이웃들을 모두 사랑했다.

그렇기 때문에 내가 하는 모든 말에 처음에는 공감을 해주었다. 그는 사람을 사랑했기에, 이웃을 사랑했기에, 자신의 어렸을 적 친구를 사랑했기에 말이다.

그의 마음을 충분히 이해하는 동시에 원망스러웠다.

내가 조금이라도 더 이웃들을 사랑했다면, 괜찮았을까.
그는 나를 조금이라도 더 믿어줬을까.

내가 하는 말을 믿고 사람들을 대피시켰을까.

-저기, 절벽이 생겨났어요! 사람이 없는 외곽이라 소각장으로 쓰였어서 가는 사람들만 가 가지고 잘 몰랐었나 봐요. 지금 소각장으로 간 사람들 몇 명이 차를 타다가 그 절벽을 보지 못해서 떨어진 사람들도 있다고 해요.

-네? 그게 무슨.

-그니까 세상이 망하는 것 같다고요. 우리의 이 아름다운 마을이 사라져 가고 있어요.

며칠 전부터 절벽이 크게 생겨났다고 한다. 절벽 그 아래는 연기와 안개가 자욱해 보이는 것이 하나도 없었다고 한다. 떨어지면 최소 실종인 무서운 곳이었다.

그리운 그들이 생각났다.

우리들과 함께 농사를 짓던 외부의 그 이들.

순진한 얼굴과 순수한 성격을 가지고 모든 말들을 곧이곧대로 믿었지만, 이상한 거에는 또 반박하는 힘을 가지고 있는 그런 이들을.

아이들을,

옛 그 인연들을 나는 다시 만나고 싶었다.

하늘이 이상한 색으로 변한다는 소리를 들었다. 푸른 하늘 색이었던 하늘이 검은색으로 지지직거리고, 결국 빨강, 초록이 혼합해 우주의 하늘이 되었다. 마치 꺼져버렸다고 표현하는 것이 맞을 것 같다. 세상이 망한다. 어느 정도 짐작은 갔다. 바깥세상에서 말로만 듣던 것이 마냥 헛소리만은 아니었음을 말이다.

드디어 내 말에 대한 믿음들이 생겨났다.
나 또한 믿지 못했던 그 말들을 믿게 되었다.

-대체 무슨 말을 하고 다닌 거야? 혹시 저주라도 걸고 다녔어? 제발, 신이시여. 제 말을 들어주세요라고 무슨 기도라고 하고 다녔냐고.
-나는 너한테만 말했어. 네가 그 누구에게도 말하지 말랬으니까. 근데 왜 그렇게 의심을 해. 나는 아무런 말을 하지 않았고, 혼자 앓았어. 혼자서 모든 걸 감내했다고.
-근데 세상이 어떻게 망해? 이렇게까지 집들이 부서지고 폐허가 될 수 있는 거냐고.
-그럼 그걸 내가 한 거라고 생각해? 제 아무리 빈다고 해도 너도 잘 알잖아. 내가 그런 짓을 할 거 같아?

아무런 말을 못 했다. 사실은 할 수 없었다. 나에게도 그런 능력은 없는 것을 그는 그 누구보다 제일 잘 아는 사람이니까 말이다.

  -그래. 네가 할 수 있는 일이 아니지….

  결국 그는 다른 사람들을 대피시키러 분주히 움직였다. 그 사람들이 그 공허로 떨어져 사라지지 않도록, 마을을 조금이나마 온전히 더 남아있게 하기 위해서였다.

-네가 하던 말, 틀린 게 없더라.

-언제는 세상이 그렇게 빨리 망하지 않는다고 하더만.

-나도 그런 줄 알았어. 근데 합리화였다고 생각해. 이 마을의 평화와 안정을 위한 그런 합리화. 미안해.

-미안하긴, 너는 그래도 최선을 다 했잖아. 사람들을 위함이었으니까 나도 이해해.

-차라리 널 믿었으면 좋았을 걸. 그랬다면 우리 모두가 살아남을 수 있었을까.

-괜찮아. 누군가는 기억하겠지. 누군가는 이렇게 아름답게 꾸미고, 가꾸었던 마을을 기억하고 그리워해주지 않을까.

-정말 세상이 망하는 거야?

-아무래도. 우리가 부정한대도, 세상은 망하는 거겠지.

만일 우리가 헛소리라고 치부하고 무시하던 것을 굳게 받아들였다면, 도망갈 수는 있었을까? 도망간다고 한들, 우리는 언젠가 사라질 존재들임을 자각하는 동시에 망각하는 존재들이라 세상을 바라볼 수 없었을 것이다.

결국에는 모든 것들이 사라지고 있었다. 내가 일군 밭과 농장이 작은 입자들로 사라져 볼 수 없는 존재가 되었다. 바로 옆에 있던 가족과 친구와 이웃들마저 도트 자국 하나하나 없어져 결국에는 사라졌다. 정확히 말하자면 소멸되고 있다는 말이 맞을 수도 있다.

더 이상 우리를 반기어줄 아이들은 없었다. 옛날의 그 아이들은 온통 어른이 되어 자기들의 삶의 목표를 찾아 멋지게 살아가는 사람이 되었다.

내가 살아가고 있던 이곳은 이제 그들에게 보일 수 없다. 바깥세상에서의 삶은 우리가 살고 있는 이곳보다 더 혹독한 곳이라 우리가 그들에게 위로의 매개체로 다가간다고 해도 감당하기 힘든가 보다.

사람들 기억 속에는 남아있을 것은 안다. 하지만 정확히 자신들이 뭘 하면서 자랐는지는 기억도 나지 않을 것이다. 그래도 적어도 흐릿하게나마 기억은 하지 않을까.

불행 중 다행인 것은 인터넷이라는 것이 요즘 더 발달하여 치기만 해도 나온다더라.

만일, 내가 사라지고, 이 세상이 사라져 그 무엇도 남지 않았음에도 불구하고, 우리를 그리워하고 사랑하는 사람들이 남아있을 것이라 생각한다.

소멸되어 가는 우리들에게 창조주들은 마지막으로 옛 그 아이들에게 전하고 싶은 말은 없는지 물어댔다.

하고 싶은 말은 너무 넘치고 넘쳐 내 입 안에서만 다 할 수 없는 말들이었다. 내가 100명이 넘어도 하고 싶은 말은 다 할 수 없었다.

그럼에도 불구하고, 마지막까지 그들에게 전하는 나의 안녕 인사가 그들에게 큰 의미가 있고, 기억에 남길 바란다.

-안녕!

-이제 헤어져야 할 시간이네.

-비록 너네가 가는 길을 나 또한 같이 갈 수 없는 것이 아쉬울 뿐이야.

-우리 또 보자.

안
녕
!

"그 소식 들었어?"

"뭐?"

"이번에 또 옛날 게임들 몇 개 종료했다더라."

"재밌게 했었는데, 아쉽네."

"여기도 결국 회사가 적자 나서 그랬대. 그래픽 해상도도 줄이고, 게임 전체 넓이도 줄였는데 결국에는 망했나 보다. 안타깝네."

작가의 말

벌써 나의 두 번째 출간이 되었다.

개인으로써는 첫 번째이기도 하지만 말이다.

나의 4년 동안의 딜레마가 드디어 세상에 나오게 되었다. 내가 과연 소설을 엮어 책을 낼 수 있을까, 내 가치관이 누군가에게는 불편하지 않을까 여러 걱정을 하며 책을 내게 되었다.

하지만 그것을 고민하는 것보다는 오히려 내가 쓰고 싶은 것에 집중하며 써보자는 뜻이 더 컸다.

중학교 때부터 작업되어 온 것들을 모두 날리기도 했다. 그리고 그놈의 70쪽을 도저히 넘기지 못했다. 나의 경계선이고, 한계점인 것만 같았다.

계속해서 8이라는 숫자를 보지 못하자 결국 근본적인 원인으로 왔다. 내가 과연 책을 낼 수 있을까와 그냥 포기하는 것이 더 빠를까 하고 그렇게 생각했다.

오기로라도 나는 이걸 성공했어야 했다.

그리고 이 책의 첫 시작을 도와준 청은이와 사린이의 이야기가 시작되었다.

책 속에서는 딱히 성별을 지칭해두지 않았다. 사실은 귀찮았다. 그들의 이야기에 더 초점을 맞추어도 나는 적기 힘들었는데, 굳이 캐릭터를 구체적으로 짜고 싶지 않았다. 나는 그냥 어딘가에 있을지도 모르는 사랑을 표현해내고 싶었다.

내용들 자체가 모두 그리 큰 문학성과 작품성을 띄고 있지 않다. 교훈도 별로 없다. 어디 내다 놓으면 누구는 이게 무슨 글이냐며 궁금해할 사람들이 태반이었다. 구질구질한 사람들의 이야기들을 쓰고 싶어서 그랬나 보다.

그래도 큰 후회는 없다. 오히려 이 책을 못 내는 것이 나에게 더 큰 후회가 될 것임을 나는 알기 때문이다.

사랑이란 주제로 갈까 싶기도 했지만, 그건 너무 어려웠다. 주된 내용을 그래서 그냥 사람들 간의 이야기를 담으려고 했다. 우리는 결국 사람들로 인해 살아가는 존재들임을 알지 않는가.

다음에는 조금 더 밝은 이야기를 쓰려고 한다.

나의 글을 읽은 모든 사람들에게 감사인사를 전한다.

_2024.02.18, 강민서